CW00431145

Trois petits cochons

raconté par Paul François
d'après la tradition

illustrations de
Annick Bougerolle

Castor Poche
Flammarion

© 1958 Père Castor Flammarion pour le texte - © 1991 Castor Poche Flammarion pour l'illustration
Imprimé en France - ISBN : 2-08-162896-1 - ISSN : 0993-7900

Il était une fois
trois petits cochons
qui s'ennuyaient
à la ferme.

Ils voulaient avoir
leur maison à eux.
Mais chacun voulait
la construire à son idée.

– Moi, je la voudrais comme ci.

– Moi, je la voudrais comme ça.

– Et moi,
comme ci et comme ça.

Ils n'arrivaient pas
à se mettre d'accord.

– Eh bien ! dit le plus jeune,
partons chacun de notre côté ;
nous verrons qui de nous trois
fera la plus jolie maison.
– C'est une bonne idée !
dirent les deux autres.

Et ils s'en allèrent
chacun de leur côté.

Le premier petit cochon
rencontra un homme
qui portait une botte de paille.

– Voulez-vous
me vendre votre paille ?
demanda le petit cochon.

– Je veux bien, dit l'homme.

Le petit cochon
acheta la paille
et se mit au travail.

Il fit une petite maison
toute en paille :

les murs étaient en paille ;
le toit était en paille ; la porte
et la fenêtre étaient en paille.

Le petit cochon,
bien au chaud
dans sa maison de paille,
était très content.
Il pensait que,
dans tout le pays,
il n'y avait pas de maison
plus jolie que la sienne.

Le deuxième petit cochon
rencontra une femme
qui portait un fagot d'épines.

– Voulez-vous
me vendre vos épines ?
demanda le petit cochon.

– Je veux bien, dit la femme.

Le petit cochon
acheta les épines
et se mit au travail.

Il fit une petite maison
toute en épines :

les murs étaient en épines ;
le toit était en épines ; la porte
et la fenêtre étaient en épines.

Le petit cochon,
bien à l'abri
dans sa maison d'épines,
était très content.
Il pensait que le loup
ne pourrait jamais
toucher à sa maison.

Le troisième petit cochon
rencontra un homme qui menait
un âne chargé de briques.

– Voulez-vous
me vendre vos briques ?
demanda le petit cochon.

– Je veux bien, dit l'homme.

Le petit cochon
acheta les briques, et il se mit
à construire sa maison.

Il fit les murs en briques,
le toit en briques,
la fenêtre en briques,
la porte en bois.

C'était une maison
très jolie, très commode
et très solide.

Le petit cochon
était tout heureux
d'avoir si bien travaillé.

Quelques jours plus tard,
le loup vint frapper à la porte
de la maison de paille.

– Pan ! pan ! pan !
Ouvre-moi ta maison de paille,
petit cochon.
– Oh ! non, je n'ouvrirai pas.

– Alors je taperai du pied,
je soufflerai, je cognerai.
Ta maison tombera par terre,
et je te mangerai.

– Tape si tu veux, souffle
si tu veux, cogne si tu veux.
Je n'ouvrirai pas.

Le loup tapa du pied,
il souffla,

il cogna...

Et la maison de paille
tomba par terre.

Mais le petit cochon
se sauva.

Il courut
de toutes ses forces
jusqu'à la maison
d'épines.

Son frère l'avait vu venir.
Vite, il le fit entrer et
referma la porte au nez du loup.

– Pan ! pan ! pan ! fit le loup.
Ouvre-moi ta maison d'épines,
petit cochon.
– Oh ! non, je n'ouvrirai pas.

– Alors je taperai du pied,
je soufflerai, je cognerai.
Ta maison tombera par terre,
et je vous mangerai
tous les deux.

– Tape si tu veux, souffle
si tu veux, cogne si tu veux.
Je n'ouvrirai pas.

Le loup tapa du pied,
il souffla,

il cogna...

Et la maison d'épines
tomba par terre.

Mais les deux petits cochons
se sauvèrent.

Ils coururent
de toutes leurs forces
jusqu'à la maison
de briques.

Leur frère les avait vus venir.
Vite, il les fit entrer,
referma la porte, et cric-crac,
donna deux tours de clé.
Il était temps : le loup arrivait.

– Pan ! pan ! pan ! fit-il.
Ouvre-moi ta maison de briques,
petit cochon.
– Oh ! non, je n'ouvrirai pas.
– Alors je taperai du pied,
je soufflerai, je cognerai.
Ta maison tombera par terre,
et je vous mangerai
tous les trois.

– Tape si tu veux,
souffle si tu veux, cogne
si tu veux. Je n'ouvrirai pas.

Le loup tapa du pied,
il souffla,

il cogna...

Et la maison de briques
ne tomba pas.

Il tapa, il souffla,
il cogna encore.
La maison de briques
était solide,
et le petit cochon riait
derrière la fenêtre.

– Ah ! c'est comme ça !
dit le loup. Eh bien !
je vais monter sur le toit.
Je passerai par la cheminée
et je vous mangerai
tous les trois.

Le petit cochon riait toujours.
Il alla rajouter un peu de bois sec
dans la cheminée, sous la grande
marmite de soupe chaude.

Puis les trois petits cochons
se mirent à souffler sur le feu
pour faire bouillir la soupe.

Pendant ce temps,
le loup grimpait sur la maison.

Un peu après, on l'entendit
marcher sur le toit.

Enfin, sa queue
apparut dans la cheminée,
au-dessus de la marmite.

Alors, le troisième petit cochon
enleva le couvercle de la marmite,
puis il attrapa la queue du loup.

– Faites comme moi,
cria-t-il à ses frères.
Une, deux, trois... Tirez !...

Les trois petits cochons
tirèrent ensemble.
Et plouf... voilà le loup
dans la marmite !

Cuit ! Bouilli !

Fini le loup !

Les petits cochons
ne voulurent plus se quitter .
Ils vécurent tous les trois
dans la maison de briques, et,
s'ils ne sont pas morts,
ils y sont encore.

Aubin Imprimeur, Poitiers - 03-1993
Flammarion et Cie, éditeur (N° 17303) - Dépôt légal : mars 1991 - N° d'impression P 42400
Loi n° 49-956 du 16 juillet 1949 sur les publications destinées à la jeunesse